GEOGRAFIA

Ciranda Cultural

GEOGRAFIA

1. O que é, o que é? Um lenço que não pode ser dobrado e um queijo que não pode ser partido?

2. Qual a cidade do Estado de Minas Gerais que fica dentro d'água?

3. Com que linha a costureira pretensiosa costuraria toda a Terra?

4. **Qual a cidade do Estado do Paraná que está em nossas mãos?**

5. Quem pôs tantos riscos brancos no oceano?

6. Oficiais do exército foram para uma festa junina. Em qual cidade eles estão?

7. Qual a cidade preferida do Papai Noel?

RESPOSTA: 1. Céu e Lua. 2. Lambari (o mesmo nome de um peixe). 3. Com a linha do Equador. 4. Palmas. 5. As linhas marítimas. 6. Arraial do Cabo. 7. Natal.

GEOGRAFIA

8. Qual a cidade da América do Sul que vive reafirmando sua condição de boa pagadora?

9. Quais são os três únicos nomes de estados do Brasil que não têm letras repetidas?

10. Qual o município brasileiro que tem nome de um gênero musical?

11. Que tipo de cão faz você se mover mais rápido?

12. Qual a cidade brasileira onde a arara não sai do sol?

13. Qual a cidade brasileira em que há menos mentiras?

14. Qual o mar que não tem água-viva?

RESPOSTAS: 8. Quito. 9. Pernambuco, Goiás e Acre. 10. Balão, no Pará. 11. Um fura-cão (furacão). 12. Arara-quara. 13. Franca. 14. O Mar Morto.

GEOGRAFIA

15. Qual o país que ajuda você a fazer café?

16. Qual a capital brasileira que sempre é vencedora?

17. Qual a mancha que ninguém se preocupa em apagar?

18. Qual o rio que, pelo nome, é o mais seco do mundo?

19. Qual a nação que está na granja e tem a capital no pomar?

20. Qual o lençol que você não pode dobrar?

21. O que é, o que é? O que está no centro do mundo?

RESPOSTAS: 15. E-coador (Equador). 16. Vitória. 17. A mancha do Canal da Mancha. 18. O rio Pó, na Itália. 19. Peru (sua capital é Lima). 20. O lençol freático. 21. A linha do Equador.

GEOGRAFIA

22. O que é que tem cidades, mas não tem casa; tem florestas, mas não tem árvores; tem rios, mas não tem peixes?

23. O que é que se deve fazer, no Polo Norte, para manter uma geladeira quentinha por dentro?

24. O que de fato impede um país de progredir além do ponto em que ele atualmente está?

25. O que é um pontinho azul no mapa de Santa Catarina?

26. Qual a cidade brasileira que tem chocalho?

RESPOSTAS: 22. Um mapa. 23. Basta mantê-la fechada e desligada. 24. A fronteira. 25. Blue-menal (Blumenau). 26. Cascavel.

GEOGRAFIA

27. Qual o mar do estado de Minas?

28. Qual o mar que não é do nosso mundo?

29. O Rio Amazonas está em qual estado?

30. Qual o Estado do Brasil que queria ser veículo?

31. Em que lugar as pessoas andam à vontade?

32. Qual a montanha que tem mais curvas?

33. Qual é o estado mais quente?

34. Qual o mar que está na África?

RESPOSTAS: 27. Mar da Espanha (cidade). 28. Mar-ciano. 29. Líquido. 30. Ser-jipe (Sergipe) 31. Bermudas. 32. A montanha-russa. 33. O estado febril. 34. Mar-roquino.

GEOGRAFIA

35. O que é, o que é? Um monte de ilhas, mas o nome diz o contrário?

36. O que é que se pode acrescentar ao estado do Pará para formar mais outros dois estados?

37. Qual é a capital que enxerga bem?

38. O que vai de São Paulo ao Rio de Janeiro sem sair do lugar?

39. O que falta no Rio para fazer frio?

40. Qual é o nome de país que tem duas sílabas e uma delas é de comer?

41. Por que os pássaros voam de um país para outro?

RESPOSTAS: 35. Antilhas. 36. Os sufixos -íba e -ná, formando Paraíba e Paraná. 37. Boa Vista. 38. A Via Dutra. 39. A letra F. 40. Japão. 41. Porque cansa muito ir andando.

GEOGRAFIA

42. Quando é difícil ir para a Lua?

43. Em que lugar a rainha da Inglaterra foi coroada?

44. Qual a cidade mais explosiva do mundo?

45. Qual é a capital mais sorridente?

46. Qual o lugar de que os barbeiros mais gostam?

47. Qual a bacia que contém mais água?

48. De onde se pode ver a luz do sol à noite?

49. Qual o estado que sempre ganha?

RESPOSTAS: 42. Quando ela está cheia. 43. Na cabeça. 44. Granada. 45. Porto Alegre. 46. Barbados. 47. A Bacia Amazônica. 48. Da Lua. 49. Espírito Santo, porque tem Vitória, a capital.

GEOGRAFIA

50. Qual era a montanha mais alta do mundo antes que o Monte Everest fosse descoberto?

51. O que é que tinha nos pés do astronauta quando, pela primeira vez, ele pisou na Lua?

52. O que é que, quando vamos, tem um nome, e, quando voltamos, tem outro?

53. Se a casa verde fica do lado direito da rua e a casa amarela fica do lado esquerdo, onde fica a Casa Branca?

54. As Ilhas Canárias, arquipélago espanhol, têm esse nome tirado de qual animal?

55. Em qual país são fabricados os chapéus-panamá?

56. Qual o rio que mais toma banho?

RESPOSTAS: 50. O Monte Everest. 51. A Lua. 52. Subidas e descidas. 53. Fica em Washington, nos Estados Unidos. 54. Cachorro. O nome latino é "*Insularia Canaria*", que significa ilha dos Cachorros. 55. Equador. 56. O que tem a maior bacia.

GEOGRAFIA

57. Por que o rio foi ao dentista?

58. Qual o lugar onde não há descida, somente subida?

59. O que o alienígena foi fazer em São Paulo?

60. Qual a cidade alemã que é um grupo de formigas?

61. Você sabe como se chama elevador lá no Japão?

62. Qual é o país que está na ceia de Natal?

RESPOSTAS: 57. Para fazer um canal. 58. O centro da terra. 59. Visitar o Tio ET (Tietê). 60. Colônia. 61. É só apertar o botão. 62. Peru.

GEOGRAFIA

63. **Onde é que os tatus não podem andar de carro?**

64. Um homem nasce na fronteira do Brasil com Cuba. Qual a sua nacionalidade, brasileira ou cubana?

65. Como é que se pronuncia o nome da capital dos Estados Unidos, New York ou Nova Iorque?

66. Qual a corrente que, por mais forte que seja, não consegue segurar o navio?

67. Que produto é importado dos países dependentes de uma monarquia?

68. Qual a capital que tem uma fruta no nome?

RESPOSTAS: 63. Tatuapé. 64. Nenhuma das duas, pois o Brasil não faz fronteira com Cuba. 65. Nenhum dos dois, a capital é Washington. 66. A corrente marítima. 67. Água de colônia. 68. Aracaju.

GEOGRAFIA

69. Qual o país que distribui cana-de-açúcar?

70. Por que o mundo nunca chega ao fim?

71. Como se chama mosca nos Estados Unidos?

72. Qual a maneira mais barata de se conhecer o Japão?

73. Quem é que tem costume de comer debaixo d'água?

74. O que é que está na terra, no mar e no céu?

75. Qual é o cabo mais promissor?

RESPOSTAS: 69. Cana-dá. 70. Porque é redondo. 71. Elas vêm sozinhas. 72. Nascer lá. 73. Tripulante de submarino. 74. Estrela-do-norte (flor); estrela-do-mar (animal marinho); e estrela-d'alva (planeta Vênus). 75. Cabo da Boa Esperança.

GEOGRAFIA

76. Qual a capital brasileira mais perigosa para os navegantes?

77. Por que existem camas elásticas no Polo Norte?

78. Qual é o nome de homem que lembra o de um rio?

79. O que é o petróleo antes de ser extraído do solo?

80. Como é que alguém consegue ganhar a vida no meio do deserto?

81. Qual o país que vai de um continente a outro sem sair de casa?

RESPOSTAS: 76. Recife. 77. Para o urso polar (pular). 78. Nilo. 79. Um segredo guardado no fundo do poço. 80. Nascendo lá. 81. Rússia.

GEOGRAFIA

82. O que é, o que é? O país que é um prato do mar?

83. Qual é a maior ponte do mundo?

84. Por que o vidente quis ir para alemanha?

85. Qual o acidente geográfico que completa muitos objetos?

86. Qual a planta que só nasce na mata mais espessa?

87. Em qual parte do Brasil se bebe mais água?

88. Qual o rio mais azedo que existe?

RESPOSTAS: 82. Camarões. 83. É a ponte aérea. 84. Porque ele aprendeu a-lê-mão. 85. Cabo. 86. A flor-esta. 87. Em Bebedouro (SP). 88. So-limões (Solimões).

GEOGRAFIA

89. Por que as praias da Bolívia são perigosas?

90. Quando é que um catarinense se torna um mineiro?

91. Qual a cidade do estado do Rio onde todo mundo é manso?

92. Com qual país se faz omelete?

93. Que parte de uma campanha política se estabelece uma estação de trem?

94. Qual o lugar onde ninguém usa calça comprida?

RESPOSTAS: 89. Porque lá não existem praias. 90. Quando trabalha nas minas. 91. Cordeiro. 92. Kosovo. 93. Plataforma. 94. No Triângulo das Bermudas.

GEOGRAFIA

95. Qual o estado do Brasil que tem mais sapos?

96. O que acontece com a Inglaterra quando chove?

97. Qual é a cidade mais limpa?

98. Qual é o meio de transporte mais produzido e utilizado no Egito?

99. Por que o Brasil é cheiroso?

100. Qual o estado mais engraçado do Brasil?

RESPOSTAS: 95. A-lagoas. 96. Vira Ingla-barro. 97. Vassouras. 98. Tapete. 99. Porque já foi colônia. 100. RS.